なぜなにはかせの 理科クイズ

7 地球と大地のなぞ

もくじ

なぜなにはかせの自己紹介 ………………… 4

問題 **1** 上流・中流・下流の順にならべると？ ………… 5

2 火山の中身は、どうなっている？ ………… 7

3 水の流れが速いのは、どこ？ ………………… 9

4 地球の中身は、どうなっている？ ………… 11

5 ペットボトルの中に、地層をつくろう！ ………… 13

6 海の生き物の化石が、山で見つかるのはなぜ？…… 15

7 富士山のてっぺんに、あながあるのはなぜ？ …… 17

8 地球が誕生したのは、今から何年前？ ………… 19

9 富士山は、どのなかま？ ………………… 21

10 地球の中心に近づくにつれて、温度はどうなる？…… 23

11 一番古い地層は、どれ？ ……………………… 25

12 三日月湖は、どうやってできた？ ………… 27

13 プレートが動く速さは、どのくらい？ ………… 29

14 化石は、どうやってできる？ ………………… 31

15 マントルは、どんなふうに動いている？ …… 33

16 火山と関係が深いものは、どれ？ ………… 35

17 地層がずれると、どうなる？ ………………… 37

コーラで火山のふん火実験 ………………… 39

18 どうやってできた地形かな？ ………………… 40

19 どんなふうに、地震は起きる？ ………………… 44

地球の中身は、どうやって調べる？ ………… 48

20 鉱物でないのは、どれ？ ……………………… 49

21 火山が多い国は、どこ？ ……………………… 51

22 地球のS極、N極はどこ？ …………………… 53

23 世界一深い海は、富士山何個分？ …………… 55

24 P波とS波、どっちが速い？ ………………… 57

25 地球は、どのくらいの速さで回ってる？ …… 59

26 花こう岩は、どうやってできた？ …………… 61

27 重力は、地球上どこでも同じ？ ……………… 63

28 一番強くゆれるのは…？ ……………………… 65

29 もし地球をちぢめたら…？ …………………… 67

30 日本のまわりのプレートは、どんな形？ …… 69

31 石炭は、なにからできている？ ……………… 71

32 しょう乳洞ができるのに、重要なのは…？ … 73

33 津波は、どうして起きる？ …………………… 75

34 ヒマラヤ山脈は、どうやってできた？ ……… 77

35 カールは、どうやってできた？ ……………… 79

36 液状化現象は、どこで起こる？ ……………… 81

37 大陸は、どうやって分かれた？ ……………… 83

　　　大陸は、まるでパズル？ …………………… 85

38 地球が、生命の星になるまでの順番は？ …… 86

39 このゆれ方は、震度いくつ？ ………………… 90

　　　さくいん ……………………………………… 94

3

問題1 上流・中流・下流の順にならべると？

下の絵は、川のようすをスケッチしたものだよ。㋐〜㋒を、上流・中流・下流の順にならべよう。

川の流れのうち、山の中を流れる部分を「上流」、上流と下流の間の部分を「中流」、海の近くを流れる部分を「下流」というよ。

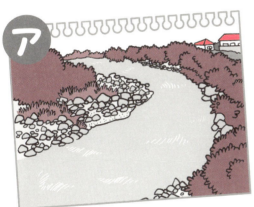

答え1 正解は ウアイ

上流は川はばがせまく、水の流れが速いよ。上流の石は、ゴツゴツしていて、とても大きいんだ。中流では川はばは広がり、水の流れもゆるやかになる。中流の石はやや大きめで、角がとれた形をしているよ。下流になると、川はばはとても広くなり、流れもおそくなる。下流の石は、小さくてまるい形をしているんだ。

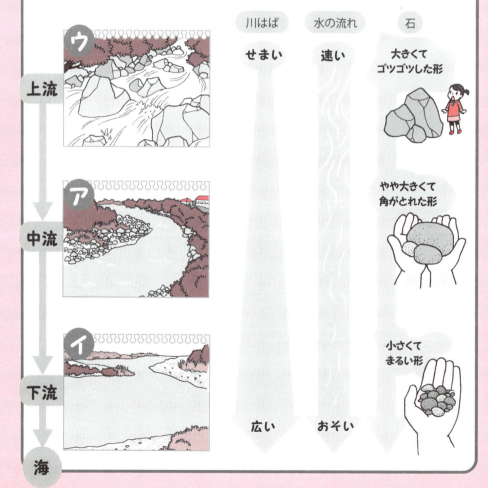

問題2 火山の中身は、どうなっている?

「マグマ」は、岩石が溶けてドロドロになったものだ。このマグマがふき出すことによって、できた地形が「火山」だよ。
火山の中身はどうなっているのかな?
次の㋐～㋓の中から、1つ選ぼう。

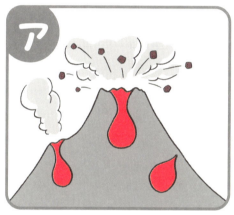

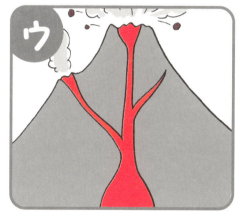

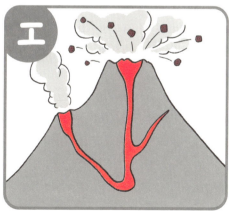

答え 2

正解は ウ

マグマは、火山の地下数kmにある「マグマだまり」から「火道」を通って、地表にふき出すよ。マグマがふき出すことを「ふん火」というんだ。ふん火して、地表にふき出したマグマは、「溶岩」や「火山ガス」などに、すがたを変えるよ。

火山ガス
大部分が水蒸気で、高温であることが多い。

側火口
火道が途中で枝分かれして、できた火口。

火山灰
おもに、マグマがあわだってできた、細かいかけら。

火口
ふん火でできた、あな。

火道

溶岩
火口から流れ出た、マグマ。とても熱く、1000℃近くある。

マグマだまり

問題3 水の流れが速いのは、どこ？

大きく曲がった川の流れで、ボールを流す実験をしよう。ボールにはそれぞれ、同じ長さのひもを付ける。その片方のはしを、橋にはり付けてあるんだ。
いっせいにボールを流したら、一番早くひもがのびきったのは、どれかな？

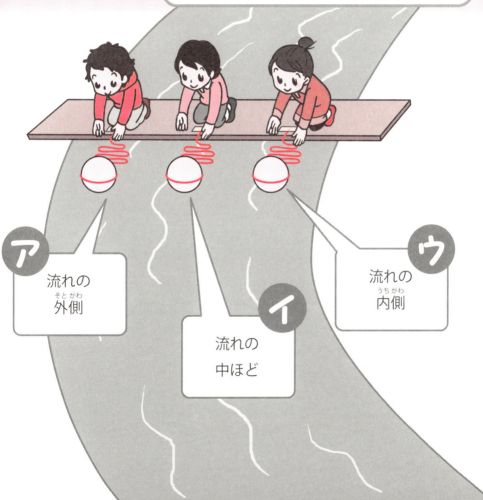

ア 流れの外側

イ 流れの中ほど

ウ 流れの内側

答え 3　正解は ア

大きく曲がった川では、外側の流れが一番速く、内側へいくほど流れはおそくなるよ。

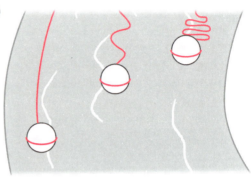

川の流れが曲がったところでは、流れの速い外側の土地がけずられ、流れのおそい内側に土や石が積もるよ。

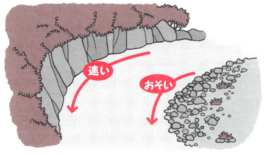

流れる水が、土地をけずるはたらきを「しん食」、土や石を運ぶはたらきを「運ぱん」、土や石を積もらせるはたらきを「たい積」というんだ。

問題 4 地球の中身は、どうなっている？

わたしたち生命がくらしている地球は、ボールのような、ほぼまるい形をしているね。では、地球の中身は、どうなっているのかな？
㋐〜㋓の中から、1つ選ぼう。

㋐ 中は土が、つまってるんだよ。

㋑ 岩石や鉄が、層になっているよ。

㋒ ドロドロに溶けた岩石が、つまっているよ。

㋓ ドロドロに溶けた鉄の中心に、岩石があるよ。

答え 4　正解は イ

地球の中心には、おもに鉄でできている「核」があり、その外側には「マントル」とよばれる、岩石でできた部分があるんだ。

一番外側は「地かく」が、卵のからのようにおおっているよ。マントルは「上部マントル」と「下部マントル」、核は「外核」と「内核」に、それぞれ分かれているんだ。

地表からの深さ

- 地かく
  - およそ 670 km
  - およそ 2900 km
  - およそ 5100 km
  - およそ 6400 km

陸の部分は「大陸地かく」といって、厚さ30 〜 50kmくらい。
海の部分は「海洋地かく」といって、厚さ6 〜 7kmくらい。

上部マントル
おもに、かんらん岩という岩石で、できている。ゆっくりと動いている。

下部マントル
かんらん岩の、性質が変わった物質で、できている。ゆっくりと動いている。

外核
おもに溶けた鉄で、できている。鉄が流れることによって、電流が生まれ、S極とN極がある「磁気」が発生すると、考えられている。

内核
おもに固体の鉄で、できている。ゆっくりと大きくなっていると考えられている。

マントルは固体だけど、水あめのように、動くことができるんだ。

12

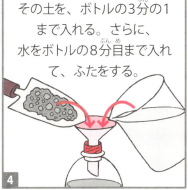

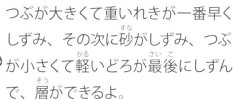

答え 5 — 正解は ウ

つぶが大きくて重いれきが一番早くしずみ、その次に砂がしずみ、つぶが小さくて軽いどろが最後にしずんで、層ができるよ。

もうひとつ、実験をしてみよう！

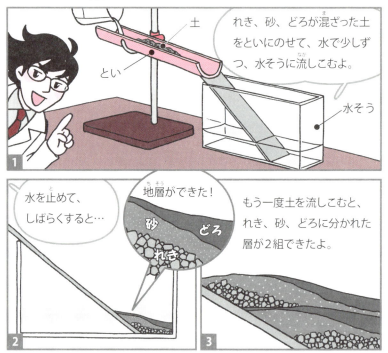

1. れき、砂、どろが混ざった土をといにのせて、水で少しずつ、水そうに流しこむよ。
2. 水を止めて、しばらくすると…　地層ができた！
3. もう一度土を流しこむと、れき、砂、どろに分かれた層が2組できたよ。

自然の中でも、河口付近〜沿岸部で、これと同じようなたい積がくり返され、地層ができていったんだね。

問題6 海の生き物の化石が、山で見つかるのはなぜ？

大地の中に残された、大昔の生き物の体や生活のあとのことを「化石」というよ。
山の中にあるがけで、貝やカニ、ヒトデなど、海でくらす生き物の化石が見つかったよ。
なぜかな？

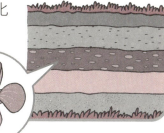

ア その場所は、大昔は海の中だったんじゃないかな。

イ 大昔、海の生き物はみんな、陸でくらしていたんだよ。

答え6 正解はア

地層の中から、海の生き物の化石が、いっぱい見つかると、その土地は、大昔は海だったことが考えられるよ。気候の変化や、大地が動くことによって、海岸線が変化したんだね。

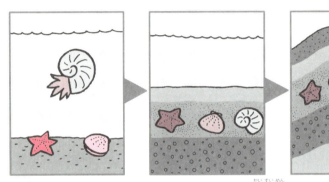

海の生き物が死んで化石になったあと、海水面が下がったり、大地がもり上がり、陸地になる。

世界一高い山のエベレストがあるヒマラヤ山脈から、大昔の海の生き物アンモナイトの化石が、見つかっているよ。1億〜5000万年前までは、この土地は海の中だったんだ。

アンモナイトは、現代のオウムガイに、似た姿をしていたと、考えられているよ。

エベレスト
（現地のことばで、チョモランマともよばれる。）

問題 7 富士山のてっぺんに、あながあるのはなぜ？

日本で一番高い山といえば、富士山だね。富士山のてっぺんには、大きなあながあいているよ。
このあなは、どうやってできたのかな？

ア 大きないん石が落ちたんだよ。

イ 地震で、くずれたのかも。

ウ 火山が、ふん火したんだと思う。

エ 雷があたってくずれたんだよ。

答え 7 正解は ウ

富士山のてっぺんにある大きなあなは、火山がふん火したときの火口なんだ。富士山は、1707年の大ふん火を最後に、約300年間ふん火していないよ。けれども、まだ活動は続いていて、またふん火する可能性は、じゅうぶんあるんだ。

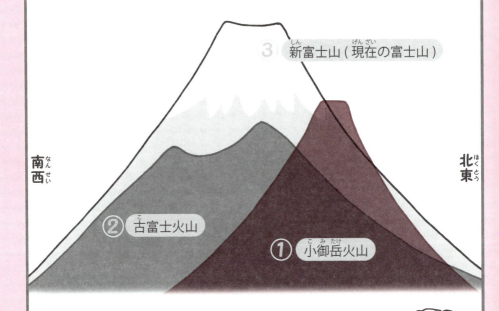

富士山は、現在の形になるまでに、大昔から何度も、ふん火をくり返してきたよ。今から数十万年前、「小御岳火山」が、ふん火活動をくり返していた。その後、「古富士火山」がふん火し、富士山の原形ができる。

そして、およそ1万年前から、新しい活動が始まり、大量の火山灰や溶岩などが、古富士火山をおおいかくして、現在の富士山が誕生したんだ。

問題 8 地球が誕生したのは、今から何年前？

地球は、太陽やほかのわく星といっしょに、太陽系の一員として生まれたよ。地球が誕生したのは、今からおよそ何年前かな？

ア　1万年前

イ　57万年前

たくさんのガスが集まり、太陽が生まれた。

ウ　1億年前

エ　46億年前

ちりや、小さなわく星がぶつかりあい、だんだんと大きくなって、地球などのわく星ができた。

答え 8　正解は エ

今からおよそ46億年前、宇宙にただよっていたガスやちりが集まって、大きな円ばんのようになって、回転し始めたんだ。これが、地球や太陽をふくむ、「太陽系」の始まりだよ。誕生したばかりの地球は、まだマグマの海におおわれていたんだ。

地球が誕生してから現在までを、1年間にちぢめてみると、人類が誕生したのは、つい最近だということが、わかるよ。

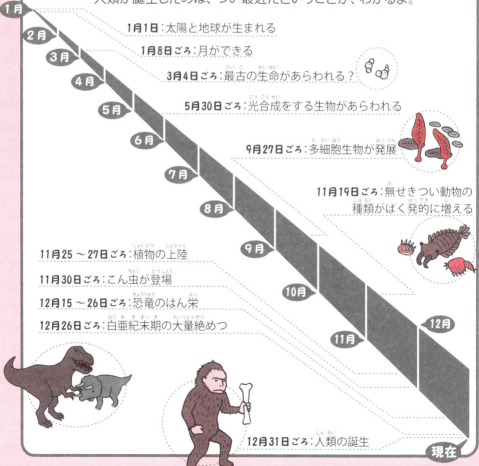

- 1月1日：太陽と地球が生まれる
- 1月8日ごろ：月ができる
- 3月4日ごろ：最古の生命があらわれる？
- 5月30日ごろ：光合成をする生物があらわれる
- 9月27日ごろ：多細胞生物が発展
- 11月19日ごろ：無せきつい動物の種類がばく発的に増える
- 11月25〜27日ごろ：植物の上陸
- 11月30日ごろ：こん虫が登場
- 12月15〜26日ごろ：恐竜のはん栄
- 12月26日ごろ：白亜紀末期の大量絶めつ
- 12月31日ごろ：人類の誕生

問題 9 富士山は、どのなかま？

火山には、いろいろな形があるよ。流れ出る溶岩のねばりけや、ふん火のしかたによって、できる火山の形が変わってくるんだ。次の㋐〜㋒のうち、富士山はどの仲間に入るかな？

わたしはどのなかま〜？

㋐ たて状火山

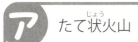

ねばりけが小さく、流れやすい溶岩が何回も流れてできた、大きな山。身を守る「たて」のような形をしている。

たて

㋑ 成層火山

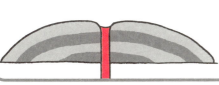

何度も同じ火口からふん火をくり返し、溶岩や火山灰が積もってできた火山。円すい形をしている。

円すい形

㋒ 溶岩ドーム

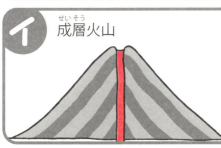

ねばりけが大きい溶岩が、火口からドーム状にもり上がってできた火山。溶岩は、火口から遠くまで流れ出ることはない。

ドーム

答え 9 　正解は イ

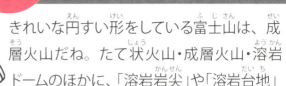

きれいな円すい形をしている富士山は、成層火山だね。たて状火山・成層火山・溶岩ドームのほかに、「溶岩岩尖」や「溶岩台地」があるよ。このほかに「カルデラ」や「火山さいせつ丘」などの地形があるんだ。

溶岩のねばりけ　小さい ↕ 大きい

溶岩台地
ねばりけが小さい溶岩が、大量に流れ出てきた、広大な台地。
例：インドのデカン高原

たて状火山
例：ハワイのキラウエア山

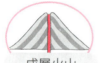

成層火山
例：富士山

溶岩ドーム
例：雲仙・普賢岳

溶岩岩尖
火道の途中でマグマが固まり、下からおし上げられたもの。
例：西インド諸島のプレー山

このほかに…

カルデラ
火山の中心にできる、大きなくぼ地。大ばく発でマグマを大量にふき出したあと、火口付近がくずれ落ちてできたものが多い。
例：阿蘇山

火山さいせつ丘
火口のまわりに、火山灰や細かい溶岩のかけらなどが、積もってできた丘。
例：ハワイのダイヤモンドヘッド

問題 10 地球の中心に近づくにつれて、温度はどうなる?

地面をどんどんほって、地球の中心に近づいていったとしよう。温度は、どうなるかな?

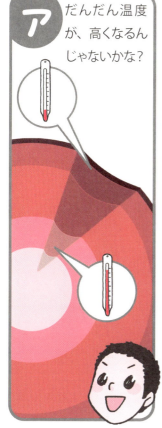

ア だんだん温度が、高くなるんじゃないかな?

イ だんだん温度が、低くなるんだよきっと。

ウ 温度は変わらないと思うよ。

答え 10　正解は ア

地球の一番外側をおおっているのは、地かくだね。わたしたちは、この地かくの上でくらしているよ。地かくの下は、上部マントルで温度は1500℃未満。その下の下部マントルは、およそ1500～4000℃だ。さらに中心近くの外核になると、4000～6000℃、一番中心にある内核になると6000℃以上もあるといわれているんだよ。

上部マントル：1500℃未満

下部マントル：1500～4000℃

現在、一番深くまでほれるのは、地球深部探査船の「ちきゅう」だよ。海底を7000mほって、マントルを調べるための船なんだ。

外核：4000～6000℃

内核：6000℃以上

実際には、見ることができない地球の内部。どうやって調べるのかな？48ページを見てみよう！

地かく

マントル

問題 11 一番古い地層は、どれ？

地層を見ることができるがけを、観察したよ。次の㋐〜㋔のうち、一番古い地層はどれかな？

がけには、危険な場所もあるよ。観察するときは、必ず大人に相談しよう！

答え11　正解は オ

地層は、下から順に積み重なってできるから、上へいくほど新しいんだ。

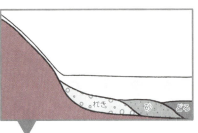

川の流れに運ばれた土が、れき、砂、どろに分かれてたい積する。れきは重いので河口近くにたい積し、どろは軽いので、沖のほうへ流されてからたい積する。

14ページの実験を思い出そう！

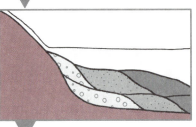

海水面が上がったとき、以前できた層の上にれき、砂、どろがたい積する。

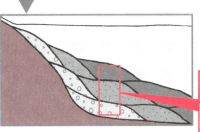

さらに海水面が上がったとき、以前できた層の上に、れき、砂、どろがたい積する。

地層ができている！

これとは逆に、海水面が下がったり、こう水などで川の流れの勢いが変わることでも、地層ができるよ。

また、火山のふん火による火山灰がふり積もって、地層になることもあるんだ。

問題 12 三日月湖は、どうやってできた？

三日月のような形をした湖のことを、「三日月湖」というよ。三日月湖のなりたちは、川の流れと関係があるんだ。次の㋐〜㋓を、三日月湖ができる順にならべよう。

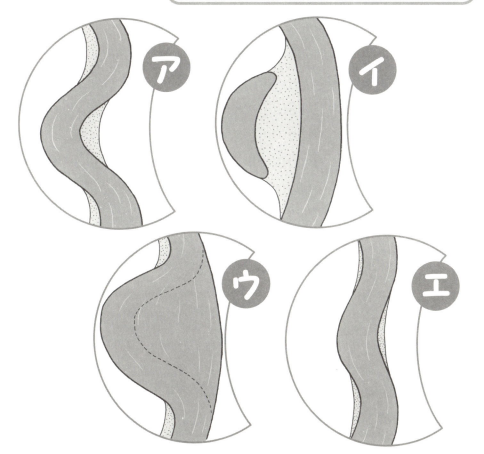

答え 12 正解は エアウイ

川が、曲がりくねって流れることを「だ行」というよ。水の流れによるしん食と、たい積がくり返されると、川のだ行はだんだんと、はげしくなっていくんだ。そこにこう水が起きて、川の流れが変わると、取り残された部分が、三日月湖になるんだね。

エ
内側のおそい流れによって、石や土が積もる…**たい積**
外側の速い流れによって、けずられる…**しん食**

ア
だ行がはげしくなっていく

ウ
こう水が起きて、川の流れが変わる。

イ
取り残された部分が、三日月湖になる。

長い年月の間に、川が大きく曲がり、輪のような形になった三日月湖や…

こう水を防ぐために、人工的に、川のつけかえ工事をしたことでできた、三日月湖もあるよ。

工事でつけかえられた水路

問題 13 プレートが動く速さは、どのくらい？

地球の一番外側を、卵のからのように、おおっている地かく。その地かくと、上部マントルのかたい部分を合わせて「プレート」というよ。このプレートは、マントルの流れにのって、少しずつ移動しているんだ。どのくらいの速さかな？

マントルについては、12ページでくわしく説明しているよ。

地かく
上部マントル（かたい）
上部マントル（やわらかい）
プレート
下部マントル

ア 1年に数cm
イ 1日に数cm
ウ 1年に数m
エ 1日に数m

答え 13　正解は ア

場所によってちがいもあるけれど、プレートは、1年に数cmほど移動しているんだ。大西洋、インド洋、太平洋にわたって数万kmも続く巨大な海底山脈「中央海れい」から、プレートが生み出されているよ。

現在、地球上には十数枚ほどのプレートがあるよ。

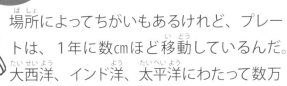

中央海れい
大きな海底火山の山脈。
ここからプレートが生まれる。

南アメリカ大陸　　アフリカ大陸

南アメリカプレート　　アフリカプレート

熱いマントルが上がっていく

問題 14　化石は、どうやってできる？

化石は、どんなふうにできるのかな？
次の㋐〜㋑を、
化石ができる順に
ならべよう。

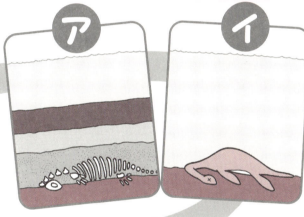

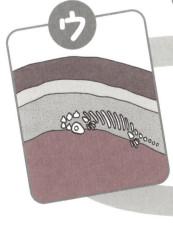

31

答え 14 正解は イ エ ア ウ

動物や植物は、長い年月をかけて、体の組織が、鉱物に置きかわるなどして、かたくなり、化石になるよ。

イ　生物が死に、水中にたおれるか、水辺に流れつく。

エ　肉などのやわらかい組織は、ほかの動物に食べられたり、び生物に分解されてなくなる。

ウ　大地がもり上がるなどして、陸上に出る。雨や風で大地がけずり取られると、化石があらわれる。

ア　土砂にうもれ、酸素の通らない地層の中にとじこめられる。長年の間に、鉱物に変わる。

動物の足あとや、ふんの化石もあるよ。「生こん化石」というんだ。

問題 15 マントルは、どんなふうに動いている？

地球の内部には、マントルという部分があって、ゆっくりと動いていることは、12ページで学んだね。では、どんなふうに、動いているのかな？
次の㋐〜㋔の中から、1つ選ぼう。

33

答え 15

正解は エ

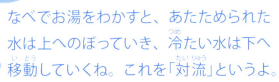

なべでお湯をわかすと、あたためられた水は上へのぼっていき、冷たい水は下へ移動していくね。これを「対流」というよ。地球内部のマントルでも対流がおきているんだ。このマントルの対流によって、大陸や海底がのっている「プレート」はゆっくりと動いていて、地震や火山活動の原因になるんだね。

スーパーコールドプルーム
しずみこんだ冷たいプレートが、上部マントルと下部マントルの間にたまり、下部マントルのさらに底に落ちていく。

スーパーホットプルーム
下部マントルの底から、核の熱であたためられた熱いマントルが上がっていく。

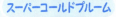

- スーパーコールドプルーム
- マントルの対流
- 地かく
- 上部マントル
- 下部マントル
- 外核
- 内核
- スーパーホットプルーム

問題 16 火山と関係が深いものは、どれ？

私たちの身のまわりには、火山のふん火や、マグマによってつくられたものが、いろいろあるよ。
次のア〜オのうち、火山と関係が深いものはどれかな？3つあるよ。
全て選び出そう。

ア 軽石

イ 温泉

ウ ふ葉土

エ おいしい水

オ ろうそく

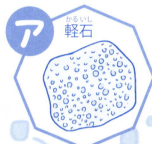

答え 16 正解は ア イ エ

⑦の軽石は、マグマが地表に出てくるときに、急速に冷やされて、中に細かいあわが入り、そのまま固まってできるよ。④の温泉は、地中のマグマにあたためられた地下水が、わき出したものが多いんだ。㊀のおいしい水は、火山の溶岩が固まったすき間や、降り積もった火山灰に雨水が入りこみ、「ろか」されて、わき出したものなんだ。

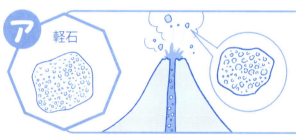

ア 軽石

軽石は、パンのように、中にたくさんのあながあるよ。

イ 温泉

マグマの中にふくまれる水分が、温泉として、わき出すこともあるよ。

エ おいしい水

たくさんのすき間が、フィルターになって、水のよごれを、取りのぞくんだね。

問題 17 地層がずれると、どうなる？

大地にずれが生じるとき、地震が起きるよ。地層の中には、しましま模様がずれているところがある。これが、大地のずれによりできた「断層」だ。
断層の模様はどうなっているのかな？
次の㋐〜㋒の中から、1つ選ぼう。

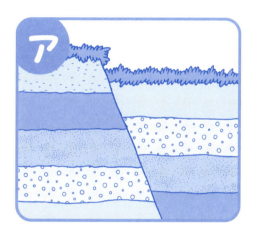

大地がずれる現象そのものも「断層」とよぶよ。

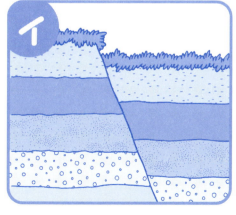

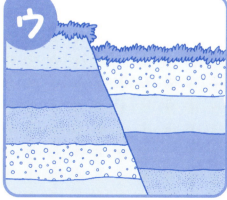

37

答え 17　正解は イ

断層には、たて方向にずれる「正断層」と「逆断層」、横にずれる「横ずれ断層」があるよ。また、過去に地震を起こした断層で、今後も地震を起こす可能性の高い断層を、「活断層」というんだ。

正断層

大地を両側から引っぱる力により、一方の大地がすべり落ちる。

逆断層

大地を両側から押す力により、一方の大地がせり上がる。

横ずれ断層

横方向の力がはたらいて、水平にずれる。

元々はひとつながりのしましま模様がずれるから、断層の左右のしましまの順番は、同じになるんだね。

> 大きな地震の後には、断層が地表にあらわれることもあるよ。

コーラで火山のふん火実験

マグマには、水蒸気や二酸化炭素などの、さまざまなガスが溶けこんでいるんだ。マグマが地中深くから上にのぼっていくと、マグマにかかっている圧力が下がり、中に溶けているガスが出てきて、あわだち始める。このあわがふくらむことによって、マグマ全体がふくれあがって地表にふき出し、ふん火するんだよ。

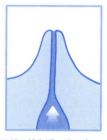
マグマがのぼっていく。

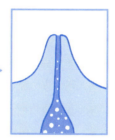
マグマにかかっていた圧力が下がり、中に溶けていたガスが、あわだち始める。

あわだちが大きくなり、マグマ全体がふくらみ、火口からふん火する。

地震がきっかけでマグマがあわだつ、という説もあるよ。

コーラでふん火実験

①ペットボトルのふたを外し、くぎであなをあける。

②3分の1くらい飲み、ふたをする。

火口 / マグマだまり / マグマ

ふたのあなが火口、ペットボトルがマグマだまり、コーラがマグマにあたるよ。

③ボトルをふると…

④コーラがふき出した!!

コーラがあわだってふくらむことによって、いっきにふき出したんだ。火山と同じしくみだよ。

※ぬれてもよい場所で実験しよう！

問題 18 どうやってできた地形かな？

次の地形は、どんなふうにできたのかな？①〜⑤の地形の順に、⑦〜㋺をならべかえよう。

①

天井川
川床がまわりの平地よりも高くなった川。

②
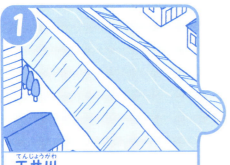
三角州
土砂でできた、三角形の地形。

㋐
川のしん食によってできた谷がしずんだり、海面が上昇して谷に海水が入りこんだりして、できた地形。
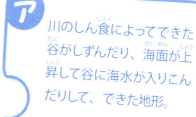

㋑
土地がもり上がり、川の流れが急になる。すると、平らな川原がしん食され、一段低いところに新しい川原ができる。これをくり返すことにより、できた地形。
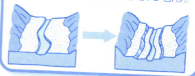

40

③ リアス海岸
複雑に入り組んだ海岸線。

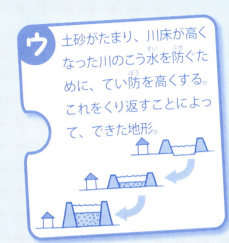

ウ 土砂がたまり、川床が高くなった川のこう水を防ぐために、てい防を高くする。これをくり返すことによって、できた地形。

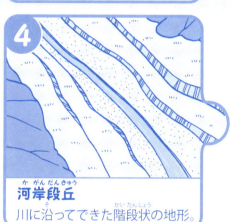

④ 河岸段丘
川に沿ってできた階段状の地形。

エ 川が山地から平地へ流れ出る場所で、水の流れがおそくなり、運ばれてきた土砂がたい積して、できた地形。

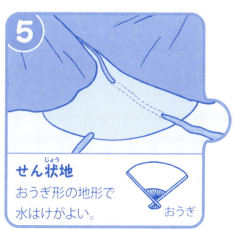

⑤ せん状地
おうぎ形の地形で水はけがよい。
おうぎ

オ 川が海に流れこむ河口で、流れが勢いをなくし、土砂がたい積して、できた地形。

答え 18 正解は ウオアイエ

1 天井川

川床の下にトンネルをほって、道路や線路が通っているところもあるんだよ。

ウ 土砂がたまり、川床が高くなった川のこう水を防ぐために、てい防を高くする。これをくり返すことによって、できた地形。

2 三角州

三角州の土地は平らなので、大きなものになると、上に都市ができたり、田んぼに利用されたりするんだ。

オ 川が海に流れこむ河口で、流れが勢いをなくし、土砂がたい積して、できた地形。

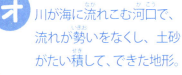

3 リアス海岸

土地がしずむことを、「ちん降」というよ。

ア 川のしん食によってできた谷がしずんだり、海面が上昇して谷に海水が入りこんだりして、できた地形。

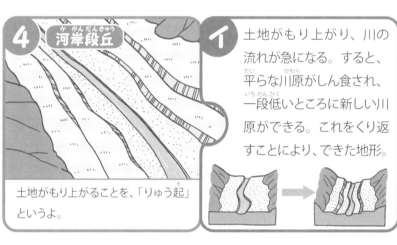

4 河岸段丘

土地がもり上がることを、「りゅう起」というよ。

イ 土地がもり上がり、川の流れが急になる。すると、平らな川原がしん食され、一段低いところに新しい川原ができる。これをくり返すことにより、できた地形。

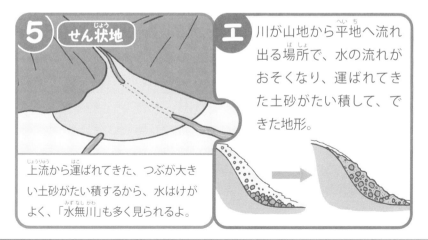

5 せん状地

上流から運ばれてきた、つぶが大きい土砂がたい積するから、水はけがよく、「水無川」も多く見られるよ。

エ 川が山地から平地へ流れ出る場所で、水の流れがおそくなり、運ばれてきた土砂がたい積して、できた地形。

問題 19 どんなふうに、地震は起きる？

地震が起きるとき、大地の中では、どんなことが起こっているのかな？
場所によって、ちがいがあるんだよ。
次の①〜④の場所で起きる地震の順に、㋐〜㋓をならべかえよう。

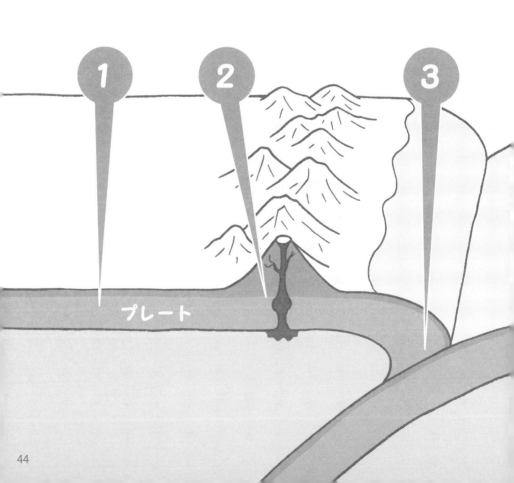

プレートどうしが、横にすれちがうように動く場所に、断層ができ、地震をひき起こす。　**ア**

イ　火山の下でマグマが上昇して、山が変形したり、一部がくずれたりするときに、地震がひき起こされる。

プレートどうしがぶつかることにより、内陸部にも力が加わり、断層がずれて地震をひき起こす。　**ウ**

エ　しずみこむ海洋プレートに、引っぱられた大陸プレートが、元にもどろうとはね上がり、地震をひき起こす。

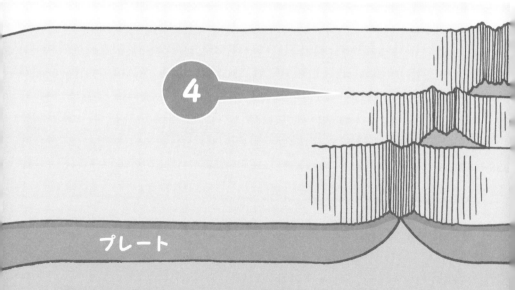

4

プレート

45

答え 19　正解は ウイエア

世界中で大きな地震が起こった場所を調べてみると、プレートとプレートの境目近くに集中していることがわかるよ。プレートの動きが原因となる地震のほかに、火山が原因となって起きる地震もあるんだね。

ウ プレートどうしがぶつかることにより、内陸部にも力が加わり、断層がずれて地震をひき起こす。

火山の下でマグマが上昇して、山が変形したり、一部がくずれたりするときに、地震がひき起こされる。

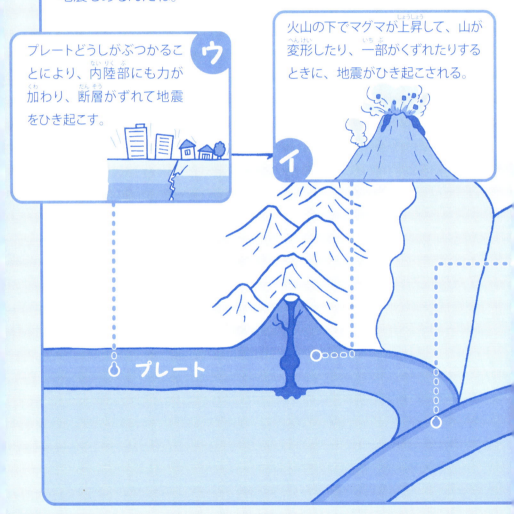

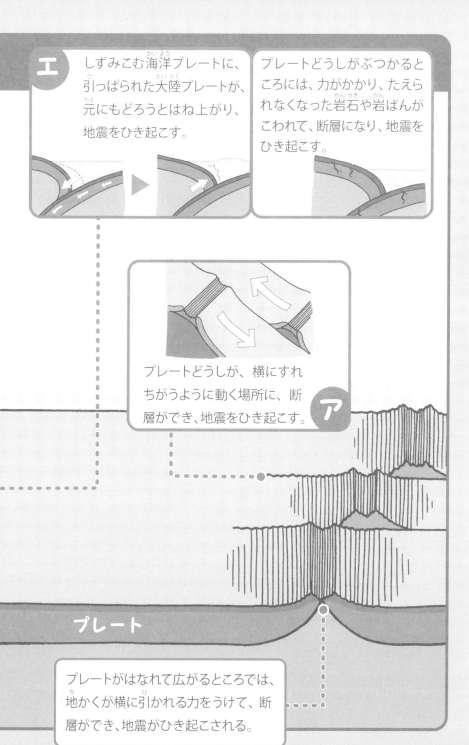

地球の中身は、どうやって調べる？

実際には見ることができない、地球の中身。どうやって調べているのかな？ じつは、地震の波「地震波」の伝わり方を調べることで、地球の中身を知ることができるんだ。

地球の中には、地震波の伝わる速さが変わるところがある。このことから、そこにある物質の性質が変わったということがわかるんだ。また地震波には、「P波」と「S波」の2種類があって、S波は固体は伝わるけれども、液体を伝わることができないよ。そのため、地球の中には、液体の部分があることがわかったんだ。

P波　液体も伝わることができる。

S波　液体を伝わることができない。

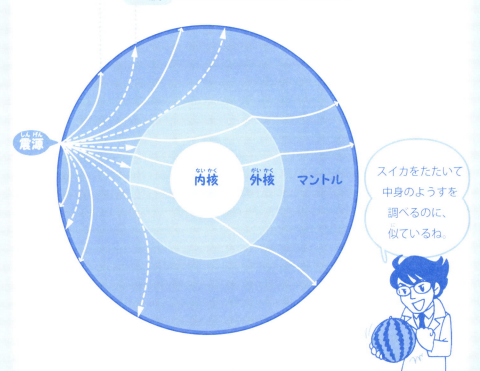

スイカをたたいて中身のようすを調べるのに、似ているね。

問題 20 鉱物でないのは、どれ？

岩石は、さまざまなかたい結晶の「鉱物」からできているよ。現在、世界には4000種類以上の鉱物があると、いわれているんだ。アクセサリーに使われる宝石の多くは、鉱物なんだよ。

では、次の宝石のうち、鉱物ではなくて、生き物や植物からできるものはどれかな？いくつかあるよ。全て選ぼう。

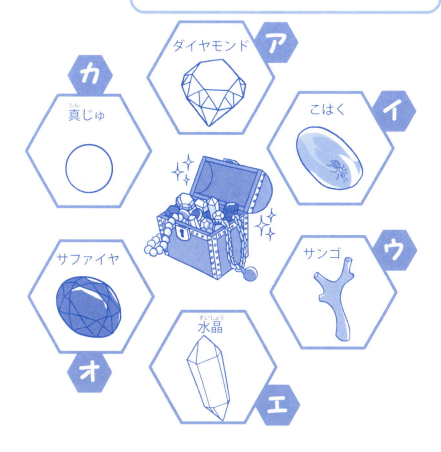

答え20 正解は イ ウ カ

⑦のこはくは、松の木から出る「松やに」など、樹脂が化石になったものだよ。化石になる前に、虫や葉が入りこむこともあるんだ。⑦のサンゴは、サンゴ虫とよばれる海の生き物が集まったものだよ。宝石になるサンゴは、深海に生息していて、成長はとてもゆっくりなんだ。1年に数mmといわれているよ。⑦の真じゅは、貝が出した物質によって貝の体内に入った砂粒などが包まれてできるんだ。

岩石

鉱物

鉱物は、小さいかたまりで岩石の一部となることもあるけれど、長い年月をかけて、大きな結晶に成長する鉱物もあるんだ。その中でも特に、①色やかがやきがきれいなもの、②とれる量が少ないもの、③長い年月がたってもかたさや性質が変わらないもの、を宝石とよぶよ。宝石の原石は、特別な方法でカットされて、アクセサリーとなるよ。

アクセサリー

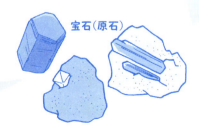

宝石（原石）

問題 21 火山が多い国は、どこ？

火山は地球上の、いろいろな場所にあるよ。火山の中でも、今からおよそ1万年以内にふん火した火山と、現在活発な活動のある火山を「活火山」とよぶんだ。
次の㋐〜㋓のうち、一番活火山が多い国はどこかな？

㋐ インドだと思うよ。

㋑ 中国かな。

㋒ オーストラリアだよ。

㋓ 日本だったりして。

答え21　正解は エ

世界には、約1500の活火山があるといわれているよ。そのうち、日本には110もの活火山が、集中しているんだ。これは、日本のまわりに4つのプレートがあり、プレートが地球内部にしずみこむところが多いからなんだ。

世界のプレートと火山が多い場所

日本は世界的に見ても、火山がとても多い国なんだね。

= 火山が多い場所

マグマができるしくみ

地かくやマントルなどの岩石が、地球内部の熱によって溶けると、マグマになるよ。

陸のプレート　マグマ　マントル　海のプレート　マントル

海のプレートが、陸の下にしずむときに、水がしぼり出される。この水が岩石を溶けやすくしていると、考えられているよ。

問題 22 地球のS極、N極はどこ？

方位磁針が北を指すのは、地球全体が大きな磁石になっているからだよ。磁石には、S極とN極があるね。地球のS極、N極は、それぞれどちら側にあるのかな？

ア 北がN極、南がS極だと思うよ。

イ 北がS極、南がN極なんじゃないかな。

ウ 北と南がS極で、赤道付近がN極だよ。

エ 北と南がN極で、赤道付近がS極だよ。

答え22 正解は イ

方位磁針が北を指すのは、地球がもつ磁石の力「地磁気」に反応しているからなんだ。北がS極、南がN極だよ。

地球の中心部分にある外核は、溶けた鉄でできている。この鉄が、うずをまくように動くことで、電気が流れ、磁気が発生すると考えられているよ。

現在、地磁気は、自転軸から11度ほどずれた方向で、はたらいている。その場は一定ではなく、少しずつ移動している。

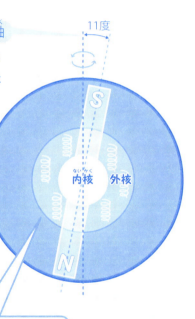

コイルに電流を流すと電磁石になるように、外核の溶けた鉄が、うずをまくように動くことで、電流が流れ、磁気が発生する。

地球の長い歴史の中で、地磁気のN極とS極は、何度も入れかわっているよ。現在も、少しずつ磁気は弱まっていて、いずれ入れかわると考えられているんだ。

問題 23 世界一深い海は、富士山何個分？

海の中も、陸と同じように、山や谷があり、変化に富んでいるよ。世界の海で一番深いのは、太平洋にあるマリアナ海溝だ。マリアナ海溝のもっとも深い部分の深さは、富士山およそ何個分かな？

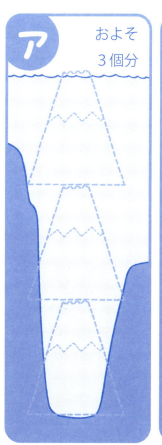

ア およそ3個分

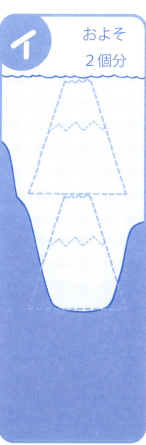

イ およそ2個分

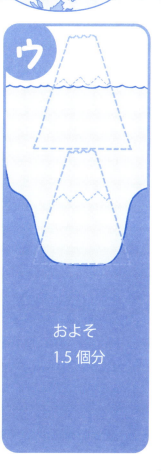

ウ およそ1.5個分

答え 23　正解は ア

マリアナ海溝の一番深いところは、およそ水深10920mだよ。富士山の標高は、3776mだから、マリアナ海溝は、富士山を3つ重ねたくらいの深さがあるんだ。

メモ

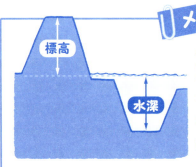

標高は、平均海水面からの高さを示すよ。水深は、水面からの深さを示すんだ。特に海では、潮が引いたときの、もっとも低くなる水面からの深さになるよ。

海溝は、大陸プレートと海洋プレートのぶつかる場所にできるんだよ。海洋プレートは、大陸プレートよりかたくて重い岩石でできているため、大陸プレートの下にしずみこむんだ。

海溝

大陸プレート
上に陸地をのせたプレート

海洋プレート
上に海底をのせたプレート

問題 24　P波とS波、どっちが速い？

地震が起こると、そこからエネルギーが放たれ、波となって伝わっていくんだ。これを「地震波」というんだ。
地震波は同時に2種類発生し、地震波が伝わる方向にのびちぢみする波を「P波」、地震波が伝わる方向に垂直にゆれる波を「S波」とよぶよ。
より速く伝わるのは、どっちかな？

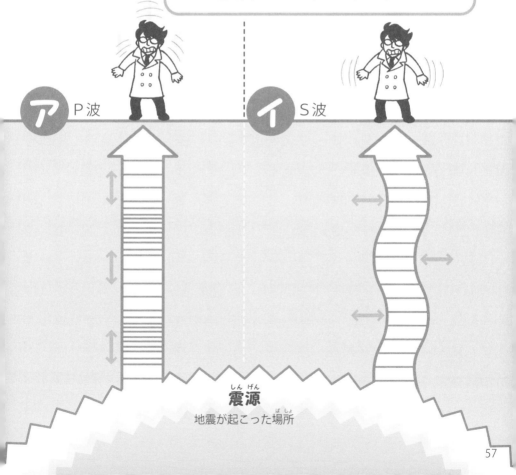

ア　P波
イ　S波

震源
地震が起こった場所

答え 24　正解は ア

P波は、S波よりも速く伝わるよ。先に地表にP波がとどき、小さなゆれを起こす。これを「初期び動」というよ。次に、おくれてS波がとどくと、大きなゆれが起こる。これを「主要動」というんだ。P波がとどいてから、S波がとどくまでの間かくは震源に近いと短く、震源から遠いと長くなるよ。

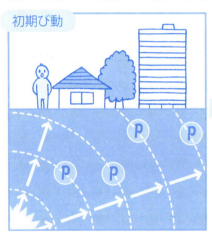

テレビや携帯電話で、「緊急地震速報」を聞いたり見たりしたことは、あるかな？地震の大きなゆれが来ることを、知らせるしくみだよ。
震源に近い地震計が、P波を感じとって気象庁に伝える。すると気象庁は、震源の位置や、地震の大きさ、S波のゆれが来るまでの時間を計算して、テレビやラジオ、携帯電話などで、できるだけ早く強いゆれが来ることを伝えるんだ。

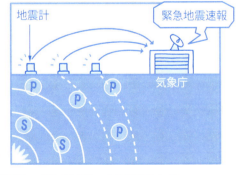

問題 25 地球は、どのくらいの速さで回ってる？

1日の長さは、24時間。つまり地球は、24時間かけて、ほぼ1回転しているんだね。これを「自転」というよ。では、これを速さで考えると、地球の赤道付近は、時速何kmで回転していることになるのかな？

ア 時速15kmくらいかな。

イ 時速250kmくらいだよ。

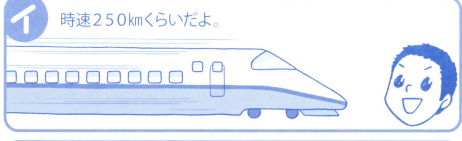

ウ 時速1000kmより速いよ。

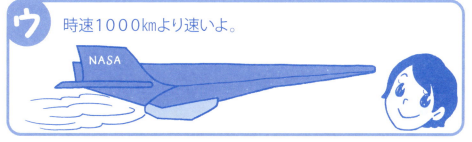

答え 25　正解は ウ

地球の赤道付近をぐるっと計ると、その長さはおよそ40000kmだ。
地球は、1日にほぼ1回転して、元のところにもどってくるので、24時間で40000km動いたことになるね。
1時間に1700km動くことになるんだ。これを時速になおすと、およそ時速1700kmになるよ。地球の日本付近をぐるっと計ると、その長さは赤道付近よりも短くなるね。だから、回転する速度もおそくなり、およそ時速1400kmだ。

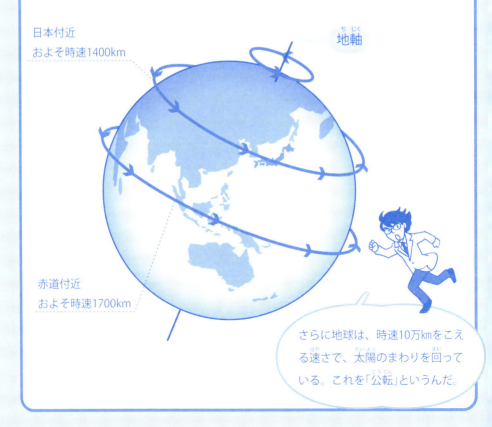

日本付近
およそ時速1400km

地軸

赤道付近
およそ時速1700km

さらに地球は、時速10万kmをこえる速さで、太陽のまわりを回っている。これを「公転」というんだ。

問題 26 花こう岩は、どうやってできた？

「みかげ石」という名前で、お墓や建物に使われることが多い「花こう岩」。ふつう黒いゴマのような点々の模様があるのが、特ちょうだよ。さて、この花こう岩は、どうやってできたのかな？

 流れ出た溶岩が、すばやく冷えて固まってできる。

 マグマだまりなどで、マグマがゆっくり冷えて固まってできる。

 砂やどろが積もってできる。

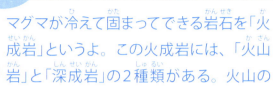

答え 26 正解は イ

マグマが冷えて固まってできる岩石を「火成岩」というよ。この火成岩には、「火山岩」と「深成岩」の2種類がある。火山のふん火などで地表に出たマグマが、すばやく冷えて固まったものが、火山岩だ。マグマだまりなど、地中でマグマがゆっくりと冷えて固まったものが、深成岩だ。花こう岩は深成岩の1つなんだ。

火成岩のほかには、砂やどろ、生き物の死がいが積もってできた岩石を、「たい積岩」というよ。

さらに、一度できた岩石が、熱や圧力によって性質が変わることがある。こうしてできた岩石を「変成岩」というよ。

火山岩
流れ出た溶岩が、すばやく冷えて固まってできる。

軽石・黒曜石など…

深成岩
マグマが、ゆっくり冷えて固まってできる。
花こう岩・せん緑岩など…

たい積岩
砂やどろが、積もってできる。

れき岩・砂岩など…

変成岩
熱や圧力によって、岩石の性質が変わる。

問題 27 重力は、地球上どこでも同じ？

わたしたちが、まるい地球の上に立っていられたり、物が下に落っこちるのは、地球がわたしたちを引っぱる力「重力」が、はたらいているからなんだ。
さて、この重力の大きさは、地球上のどこでも同じなのかな？ ちがうのかな？

ア 重力の大きさは、地球上のどこでも、同じだよ。

イ 重力の大きさは、地球上の場所によってちがうよ。

答え 27　正解は イ

わたしたちと地球の間には、「引力」と「遠心力」という、2つの力がはたらいている。重力というのは、引力と遠心力を合わせた力のことをいうよ。

引力
物と物が、たがいに引き合う力。

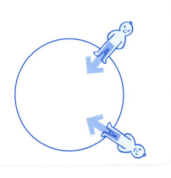

＋

遠心力
回転する物の中心軸から、遠ざかろうとする力。中心軸からの距離が遠いほど大きくなる。

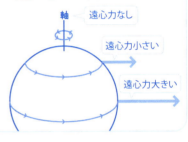

＝

重力

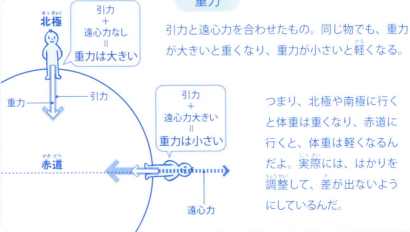

引力と遠心力を合わせたもの。同じ物でも、重力が大きいと重くなり、重力が小さいと軽くなる。

つまり、北極や南極に行くと体重は重くなり、赤道に行くと、体重は軽くなるんだよ。実際には、はかりを調整して、差が出ないようにしているんだ。

問題 28 — 一番強くゆれるのは…？

地震のニュースなどで「マグニチュード」ということばを聞いたことがあるかな？マグニチュードとは、地震のエネルギーの大きさをあらわすんだ。
さて、震源の深さや、「地ばん」のかたさが同じ場合、次の㋐〜㋓のうち、一番強くゆれるビルは、どれかな？

「地ばん」とは、地かくの一番外側の部分、地表から、ある程度の深さまでの層のことをいうよ。

答え 28　正解は イ

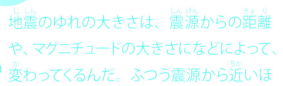

地震のゆれの大きさは、震源からの距離や、マグニチュードの大きさになどによって、変わってくるんだ。ふつう震源から近いほど、そしてマグニチュードが大きいほど、地震のゆれは大きくなることが多いよ。地震のニュースで、マグニチュードと同じくらいよく耳にすることばに「震度」があるね。この震度は、それぞれの場所でのゆれの大きさをあらわすんだ。

> **マグニチュード**…地震そのものがもつエネルギーの大きさ。
> **震度**…それぞれの場所でのゆれの大きさ。10段階で示す。

つまり、マグニチュードが大きくても、震源から遠く離れた場所では、震度が小さい場合があるよ。

電球の明るさが同じでも、遠くにいると暗く感じるし、近くにいると明るく感じるね。これと同じように、マグニチュードは同じでも、震源から遠いと震度は小さく、震源から近いと震度は大きくなるんだ。

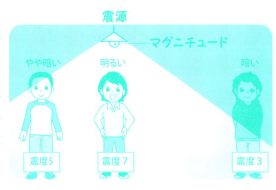

メモ

マグニチュードが1つ大きくなると、地震のエネルギーは約32倍に、さらにひとつ大きくなると約1000倍になるんだ。

問題 29 もし地球をちぢめたら…？

地球の直径は、およそ12700kmだよ。もしも、地球の直径を100cmにちぢめた場合、日本一高い山・富士山の高さは、どのくらいになるかな？

ア　0.3mmくらい

イ　5mmくらい

ウ　1cmくらい

エ　2cmくらい

問題 30 日本のまわりのプレートは、どんな形？

地球の表面は、いくつものプレートが組み合わさって、できているね。日本のまわりには、4つのプレートがあるよ。どんな形に組み合わさっているのかな？

ア
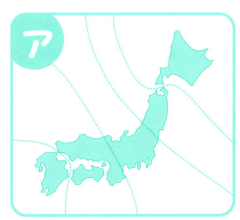

イ
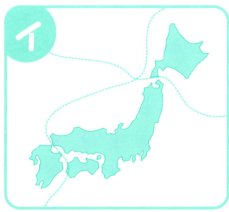

ウ

エ
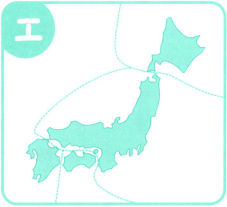

答え 30　正解は ウ

日本のまわりには、「ユーラシアプレート」「北アメリカプレート」「フィリピン海プレート」「太平洋プレート」の4つのプレートがあるよ。そのうち、太平洋プレートとフィリピン海プレートは、ほかのプレートの下にしずみこんでいるんだ。

プレートとプレートが接する場所は、地震が起こりやすい。世界で起きる地震のうち、10分の1ほどが日本やその近くで起こっているといわれているよ。

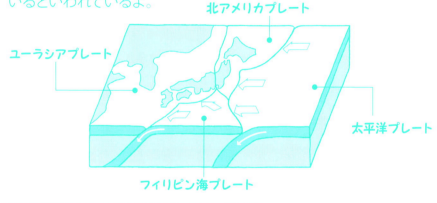

世界のプレートと地震がよく起きている場所　　　　= 地震がよく起きている場所

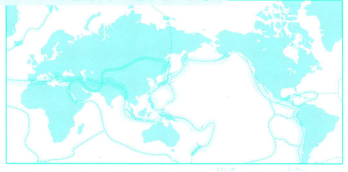

世界の地震のほとんどが、プレートの境目と、その付近に集中しているのがわかるね。

問題 31 石炭は、なにからできている？

「燃える石」や「黒いダイヤ」とよばれることもある、石炭。蒸気機関車の燃料などに、使われてきたよ。さて、この石炭は、なにからできているのかな？

石炭

ア
大昔の木の幹などだよ。

イ
大昔のプランクトンなどだよ。

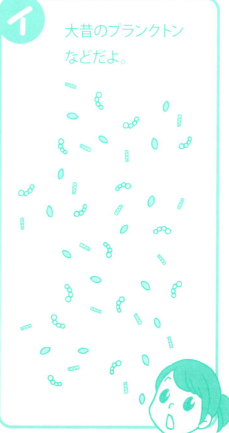

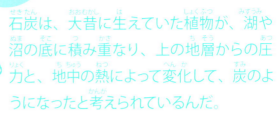

答え 31　正解は ア

石炭は、大昔に生えていた植物が、湖や沼の底に積み重なり、上の地層からの圧力と、地中の熱によって変化して、炭のようになったと考えられているんだ。

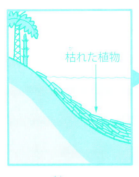

石炭の元になった植物は、今からおよそ4億年～数千年前に、生えていたものだよ。特に、およそ3億6000万年～2億9000万年前までの時期には、多くの大型シダ植物がしげり、これが地層にうもれて大量の石炭となったんだ。この時代を「石炭紀」とよぶよ。

石炭や石油、天然ガスなど、大昔の植物や動物の死がいが、地中で変化してできた燃料を、「化石燃料」というよ。

石油は、なにからできている？

石油も、石炭と同じように、古い地層から見つかっている。ふつう「化石燃料」とよばれているけれど、石油のでき方には、おもに2つの説があるんだ。ひとつは、プランクトンなど大昔の生き物の死がいが、変化してできたという「有機由来説」、もうひとつは、地球内部にある炭化水素という物質が、元になってできたという「無機由来説」だ。

問題 32 しょう乳洞ができるのに、重要なのは…？

「しょう乳洞」という洞くつを、見たことがあるかな？ ふしぎな形をした石の柱やつらら、階段のような形の岩を見ることができる洞くつだよ。さて、このしょう乳洞ができるのに、もっとも大きな役割をはたしているのは、次の㋐～㋒のうち、どれかな？

ア 火山だと思うよ。

イ 雷じゃないかな？

ウ 雨だよ、きっと。

答え 32　正解は ウ

しょう乳洞は、「石灰岩」の地層にできるんだ。この石灰岩は、生き物の死がいなどが積もってできた岩石で、溶けやすいのが特ちょうだよ。雨水には、二酸化炭素が少し入っていて、これが石灰岩を溶かすんだ。

しょう乳洞にある、ふしぎな形をした石を「しょう乳石」というよ。しょう乳石が大きくなる速さはとてもゆっくりで、1cmあたり数年のものから、数百年かかるものもあるんだ。

海底に生き物の死がいが積もり、やがて石灰岩ができる。

地層がもり上がり、陸になる。

雨水が、石灰岩を溶かしてしみこみ、地下水となる。

この石灰岩の結晶が、長い年月をかけて、しょう乳石になるよ。

石灰岩を溶かした地下水が、広いところへ出ると、地下水の中の二酸化炭素が逃げて、石灰岩の結晶ができる。

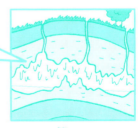
地下水の流れが、やがて大きな洞くつとなり、しょう乳洞ができる。

問題 33 津波は、どうして起きる？

津波は、ときに10mをこえ、大きな災害になることもあるね。
どんな自然現象のあとに、津波は起こるのかな？

ア 地震だよ。

イ 台風だと思うな。

ウ 満月じゃないかな。

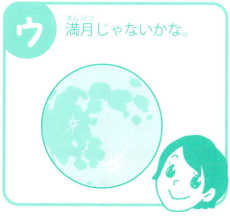

エ たつまきだよ。

答え 33　正解は ア

海底で大きな地震が起こり、海底の岩ばんが大きく上下に動くと、海水面が大きく変動し、大きな波となって、一気に陸におしよせる。これが津波だよ。

ふつうの波は、風によって起こるんだ。台風のときは高潮になることもあるよ。動いているのは、海面だけだよ。

地震発生！海底の岩ばんが動き、海水がもち上げられる。

波はひとかたまりとなって、一気におしよせる。何度かくり返す場合もある。

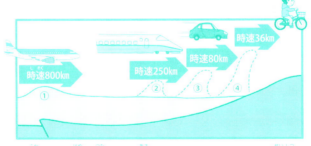

津波は、海が深いほど速く伝わり、浅くなるほどおそく伝わる性質があるよ。だから陸地に近づくにつれ、後から来る波が追いつき、波が高くなるんだ。おそいといっても、自転車を全力でこぐくらいの速さはあるから、ふつうの人が走って逃げるのはむずかしいね。海岸付近で地震のゆれを感じたら、または、津波警報が発表されたら、実際に津波が見えていなくても、すぐにひ難しよう！

問題 34 ヒマラヤ山脈は、どうやってできた？

インドとチベット高原の間にそびえ立つヒマラヤ山脈は、世界でもっとも高い山のエベレストがある山脈だよ。この山脈は、どうやってできたのかな？

ヒマラヤ山脈

ア 上がってきたマントルが、山脈をおし上げたんだよ。

イ プレートどうしがぶつかり、山脈をおし上げたんだよ。

ウ 火山が、ふん火をくり返して、できたんだよ。

77

問題 35 カールは、どうやってできた？

穂高岳は、長野県と岐阜県の県境にある、日本で3番目に高い山だ。穂高岳には「カール」とよばれる、スプーンですくったような地形が見られるよ。カールはどうやってできたのかな？

ア 火山のふん火で、できた。

イ 氷河にけずられて、できた。

ウ いん石が落ちて、できた。

エ 山くずれで、できた。

カール

答え 35　正解は イ

地球の長い歴史で見ると、現在の地球は約300万年前から続く、「氷河時代」という、気温が低い時期にあるんだ。氷河時代の中でも、現在のようにあたたかな「間氷期」と、寒い「氷期」の2つがくり返しおとずれるよ。今から2万年前は、ちょうど氷期にあたり、日本の高い山の上には「氷河」が発達したよ。その氷河によって大地がけずられ、できたのが「カール」だ。

高い山などで、数年間とけずに残る雪を「万年雪」というよ。万年雪が長い間におし固められて、氷になったものが、氷河だ。氷河は、1年間に数m〜数kmという、ゆっくりとした速さで、すべり落ちているんだ。

氷河はかたいから、川よりもけずる力が強い。

氷河が流れたあとの谷は、底がUの字の形をしているから、「U字谷」とよばれる。

問題 36 液状化現象は、どこで起こる？

地震により、地下からどろや水がふき出し、地面が液体のようになってしまう「液状化現象」。建物が傾いたり、土管が浮き上がったりするなどの、被害につながるよ。
次の㋐〜㋑のうち、液状化現象がもっとも起こりやすい土地は、どれかな？

㋐ 山の上
㋑ 平野
㋒ 山に囲まれた盆地
㋓ うめ立て地

答え 36　正解は エ

土のすき間に地下水をふくむ海の近くや、うめ立て地など、ゆるい砂の地ばんが、地震のゆれによってやわらかくなり、液状化現象が起こるんだよ。

平常時
砂どうしがかみ合って、安定している。

地震発生
地震のゆれにより、砂どうしのかみ合いがはずれ、水が浮いてくる。

地震後
砂と水が分離して、水が地表に浮き出てくる。

液状化現象の実験をしてみよう！

① プラスチック容器に、水をよくふくませた砂をつめ、上に車やビルのおもちゃを置く。砂の中にも、ゴムボールや、ペットボトルのキャップをうめておく。

② つくえをたたいて地震を起こすと…

水が浮き出てきた！
車やビルがしずんだよ！
砂の中の物は浮かび上がってきた！

問題 37 大陸は、どうやって分かれた？

地球上の、広大な陸地のことを「大陸」というね。ユーラシア大陸、アフリカ大陸、北アメリカ大陸、南アメリカ大陸、オーストラリア大陸、南極大陸の6つがあるよ。
今から2億5000万年前は「パンゲア」とよばれる、ひとつの大きな大陸だったんだ。どのようにして、大陸は分かれ、現在の形になったのかな？

ア 大きな川が流れて、大陸を分けたんだよ。

イ 大陸の一部がしずんだり、もり上がったりして、分かれたんだよ。

ウ 大陸が移動して、分かれたんじゃないかな？

答え 37　正解は ウ

大陸は、つねに動いていて、長い時間をかけて、集まったり、分裂したりをくり返しているんだよ。

2億5000万年前

1億8000万年前

現在

6500万年前

現在でも、大陸の移動は続いているよ。このまま移動が続けば、2〜3億年後には、ふたたびひとつの超大陸になると考えられているんだ。

メモ

大陸が集まったり、分かれたりするしくみ。

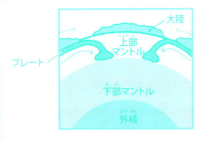

多くのプレートが集まってしずみこむと、そこに大陸が引きよせられ、超大陸ができる。

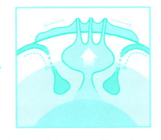

プレートが大量にしずみこむと、いれかわりに、地中から熱いマントルがわき上がり、大陸を分かれさせる。

大陸は、まるでパズル？

世界地図をよく見てみよう。南アメリカ大陸とアフリカ大陸は、パズルのように、組み合わせることができるのに、気づいたかな？

それを見て「ひとつにつながっていた大陸が、分かれて動いた。」と20世紀の初めに考えたのが、ドイツの科学者ウェゲナーだよ。

ウェゲナーは、長い距離を移動することができない生き物の化石や、同じ種類の岩石が、大陸をまたいで分布していることを調べ、「大陸移動説」をとなえたんだ。

ウェゲナー

ところが、当時ウェゲナーの説には反対意見が多く、ウェゲナーが生きているうちには、みとめられなかったんだ。

南アメリカとアフリカ、両方の大陸から、今からおよそ2〜3億年前の植物グロッソプテリスや、全長1mほどのメソサウルスの化石が見つかっていることから、2つの大陸はもとはひとつだったと考えたんだ。

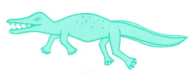

グロッソプテリスの化石　　メソサウルス

85

問題 38 地球が、生命の星になるまでの順番は？

現在の地球には、陸にも海にも、さまざまな動物や植物がくらしているね。
では、誕生してから生命豊かな星になるまで、地球の環境は、どのように変化していったのかな？
次の㋐〜㋔を、地球環境が変化していった順に、ならべかえよう。

スタート！

㋐
いん石にふくまれていたガスが蒸発し、大気ができる。やがて大気は冷え、大量の雨がふり、海ができる。

㋑
地球全体を、こおりつかせるような、きびしい氷河時代が、やってくる。すべての大陸が、高さ3000mの氷でおおわれ、海は深さ1000mまで、こおったともいわれる。

|現代|
|新第三紀|
|古第三紀|
|第四紀|

白亜紀

ほ乳類の仲間が急速に増える時代

陸上では恐竜が栄え、巨大化するものもあらわれる

1億年前

ジュラ紀

恐竜がますます繁栄する。この時代の終わりに、生物の多くが絶滅

は虫類が栄えていたが、最初のほ乳類が登場

2億年前

猿人とよばれる、初期の人類がアフリカで生まれる

三畳紀

水中では魚類が栄える。この時代の終わりに、陸上へ進出する動物もあらわれる。

ペルム紀

ほ乳類の祖先や、は虫類が、種類を増やす。この時代の終わりに大量絶滅があった。

石炭紀

デボン紀

3億年前

陸上では植物が大きな森をつくる。大型のトンボなどの昆虫があらわれる。

89

問題 39 このゆれ方は、震度いくつ？

震度は、それぞれの場所でのゆれの大きさをあらわすね。全部で10段階あるよ。次の①～④は、震度いくつかな？順番に㋐～㋓から選ぼう。

1 立っていられなくなる。かべや窓ガラスがこわれ、ドアが開かなくなることがある。

2 屋内にいる人の多くが、ゆれを感じる。電灯などのつり下げてあるものがわずかにゆれる。

3 動くことができず、飛ばされることもある。コンクリートの建物でも、たおれるものがある。

4 ほとんどの人が、大きなゆれにおどろく。つり下げてあるものが大きくゆれ、物がたおれることもある。

震度0 人は、ゆれを感じない。

震度1 屋内にいる人の一部が、わずかにゆれを感じる。

震度		
震度2		
震度3	屋内にいるほとんどの人が、ゆれを感じる。たなにある食器などが、少し音をたてる。	
震度4		
震度5弱	たなにある物が、落ちることがある。固定していない家具が、移動することがある。	
震度5強	物につかまらないと、歩くことがむずかしい。固定していない家具が、たおれることがある。	
震度6弱		
震度6強	はわないと動くことができない。大きな地割れや、地すべりが起こることがある。	
震度7		

答え 39　正解は ウアエイ

震度は、気象庁が「計測震度計」という機械を使って、ゆれの大きさを数字にしたあと、さらにそれを震度階級にあてはめて、発表しているよ。

地震が起きたら　　　　　　　　　　緊急地震速報を見聞きしたら

あわてず、まず身の安全を！

- 👆 頭を守り、じょうぶな机の下など安全な場所にひ難。
- 👆 落下物などの危険があるので、あわてて外に飛び出さない。
- 👆 ゆれがおさまってから、あわてず火の始末。
- 👆 窓ガラスは割れることがあるので、窓から離れる。
- 👆 海岸近くにいる場合は、高台へひ難する。

ゆれている最中は、なべの中の熱いお湯が、こぼれてきたりするから、危険なんだ。

ほかには、どんなところに注意が必要かな？日ごろから、みんなで話し合っておこうね。

震度 0	人は、ゆれを感じない。	
震度 1	屋内にいる人の一部が、わずかにゆれを感じる。	

震度		
震度 2	屋内にいる人の多くが、ゆれを感じる。滝灯などのつり下げてあるものがわずかにゆれる。	
震度 3	屋内にいるほとんどの人が、ゆれを感じる。たなにある食器などが、少し音をたてる。	
震度 4	ほとんどの人が、大きなゆれにおどろく。つり下げてあるものが大きくゆれ、物がたおれることもある。	
震度 5弱	たなにある物が、落ちることがある。固定していない家具が、移動することがある。	
震度 5強	物につかまらないと、歩くことがむずかしい。固定していない家具が、たおれることがある。	
震度 6弱	立っていられなくなる。かべや窓ガラスがこわれ、ドアが開かなくなることがある。	
震度 6強	はわないと動くことができない。大きな地割れや、地すべりが起こることがある。	
震度 7	動くことができず、飛ばされることもある。コンクリートの建物でも、たおれるものがある。	

さくいん

あ

圧力	39、62、72
アンモナイト	16、78
引力	64
ウェゲナー	85
運ぱん	10
液状化現象	81、82
Ｓ極	12、53、54
Ｓ波	48、57、58
エベレスト	16、68、77
Ｎ極	12、53、54
猿人	89
遠心力	64
オルドビス紀	88

か

外核	12、24、34、48、54、84
海溝	56
海洋地かく	12
海洋プレート	45、47、56
河岸段丘	41、43
核	12、33、34
火口	8、18、21、22、39
花こう岩	61、62
火山	7、8、17、21、26、34、35、39、 45、46、51、52、62、73、77、79
火山ガス	8
火山岩	62
火山さいせつ丘	22
火山灰	8、18、21、22、26、36
火成岩	62
化石	15、16、31、32、50、78、85
化石燃料	72
活火山	51、52
火道	8、22
活断層	38
下部マントル	12、24、29、34、84
下流	5、6
カール	79、80
軽石	35、36、62
カルデラ	22
間氷期	80
カンブリア紀	88
かんらん岩	12
気象庁	58、92
逆断層	38
恐竜	20、89

さ

きょく皮動物	88
緊急地震速報	58、92
グロッソプテリス	85
計測震度計	92
原生代	88
光合成	20
公転	60
鉱物	32、49、50
黒曜石	62
古生代	88
古第三紀	89
砂岩	62
三角州	40、42
サンゴ	49、50
三畳紀	89
酸素	32、87
磁気	12、54
地震	17、34、37、38、39、44、45、46、47、 57、65、66、70、75、76、81、82、92
地震波	48、57
始生代	88
シダ	72、87
自転	59
自転軸	54
シノアバクテリア	87
主要動	58
重力	63、64
ジュラ紀	89
しょう乳石	74
しょう乳洞	73、74
上部マントル	12、24、29、34、84
上流	5、6
初期び動	58
シルル紀	88
震源	48、57、58、65、66
しん食	10、28、40、43
深成岩	62
新第三期	89
震度	66、90、91、92、93
震度階級	92
ストロマトライト	87
砂	13、14、26、61、62、82
スーパーコールドプルーム	34
スーパーホットプルーム	34

94

生こん化石	32
成層火山	21、22
正断層	38
石炭	71、72
石炭紀	72、89
赤道	53、59、60、64
石油	72
石灰岩	74
せん状地	41、43
せん緑岩	62

た

大気	86
たい積	10、14、28、41、42、43
たい積岩	62
太陽	19、20、60、68
第四期	89
大陸移動説	85
大陸地かく	12
大陸プレート	45、47、56
対流	34
対流けん	68
高潮	76
だ行	28
たて状火山	21、22
多細胞生物	20
断層	37、38、45、46、47
地かく	12、24、29、34、47、52、65
ちきゅう	24
地磁気	54
地軸	60
地層	13、14、16、25、26、37、72、74
中央海れい	30
中流	5、6
ちん降	43
津波	75、76
テチス海	78
デボン紀	89
電磁石	54
天井川	40、42
天然ガス	72
どろ	13、14、26、61、62

な

内核	12、24、34、48、54
軟体動物	88
二酸化炭素	39、74

ネアンデルタール人	89

は

白亜紀	20、89
パンゲア	83
P波	48、57、58
ヒマラヤ山脈	16、77、78
氷河	79、80
氷期	80
富士山	17、18、21、22、55、56、67、68
プランクトン	71
プレート	29、30、34、45、46、47、52、56、69、70、77、78、84
ふん火	8、17、18、21、26、35、39、62、77、79
ペルム紀	89
変成岩	62
宝石	49、50
穂高岳	79

ま

マグニチュード	65、66
マグマ	7、8、20、22、35、36、39、45、46、52、61、62、87
マグマだまり	8、39、61、62
マリアナ海溝	55、56、68
マントル	12、24、29、30、33、34、48、52、77、84
万年雪	80
三日月湖	27、28
水無川	43
無せきつい動物	20、87
めい王代	88
メソサウルス	85

や

U字谷	80
溶岩	8、18、21、22、36、61
溶岩岩尖	22
溶岩台地	22
溶岩ドーム	21、22
横ずれ断層	38

ら

リアス海岸	41、43
れき	13、14、26
れき岩	62
りゅう起	43

わ

わく星	19

多田歩実

イラストレーター。本書では文章・デザインも担当。
主な仕事に『ビジュアルガイド明治・大正・昭和のくらし③』(汐文社)
『シゲマツ先生の学問のすすめ』(岩崎書店)、『日本地図めいろランキング』(ほるぷ出版)
『占い大研究』(PHP研究所)、『にほんのあそびの教科書』(土屋書店)など。

参考文献一覧

『火山の大研究』鎌田浩毅・著(PHP研究所)

『世界一おいしい火山の本』林信太郎・著(小峰書店)

『地球がもし100㎝の球だったら』永井智哉・文　木野鳥乎・絵(世界文化社)

『地震のすべてがわかる本』土井恵治・監修(成美堂出版)

『トコトンやさしい地球科学の本』地球科学研究会・編著(日刊工業新聞社)

『地震なんでも質問箱1』横山裕道・著(アリス館)

『地震と火山のたんけん隊』地学団体研究会・編(大月書店)

『ニューワイド学研の図鑑　地球・気象』猪郷久義/饒村曜・著(学習研究社)

『火山は生きている』青木章・著(あかね書房)

『小学館の図鑑NEO　地球』花輪公雄/丸山茂徳/中村尚/江口孝雄・著(小学館)

『わくわく理科5』『わくわく理科6』大隅良典/石浦章一/鎌田正裕・著(新興出版社啓林館)

『小学パーフェクトコース　?に答える!小学理科』高濱正伸・監修(学研教育出版)

『新詳資料　地理の研究』(帝国書院)

このほか、気象庁ホームページなど多数Webサイトや教科書などを参考にさせていただきました。

なぜなにはかせの理科クイズ⑦
地球と大地のなぞ

2016年3月10日　初版第1刷発行
著者／多田歩実
発行／株式会社　国土社
　　　〒102-0094 東京都千代田区紀尾井町3－6
　　　Tel 03-6272-6125　Fax 03-6272-6126
　　　http://www.kokudosha.co.jp
印刷／モリモト印刷
製本／難波製本
NDC450 ／95P／22cm
ISBN978-4-337-21707-2　C8344

Printed in Japan ©A. TADA 2016
落丁本・乱丁本はいつでもおとりかえいたします。

NDC450　国土社
2016　95P　22×16 cm